Direction éditoriale : Galia Lami Dozo – van der Kar

Conception graphique et mise en page : Cathy Dufrane

Auteur : Geneviève De Becker

Lecture - Correction : Pascale De Nève

Couverture : Cathy Dufrane

Crédits photographiques :
JupiterImages Corporation • 123RF Limited • stockxpert
Dreamstime : Andrei Mihalcea / Robin Arnold / Chris Turner / Angela Sharp / Alfred Wimmer / Martina Misar / Nancy Kennedy / Eduardo Gonzalez / Siloto / Anatoliy Terebenin / Chartchai Meesangnin / Marco Vatteroni / Reinhold Einsiedler / Dmitrijs Mihejevs / Dariusz Urbanczyk / Scott Impink / Jose Gil • Fotolia : Vladislav Susoy / Tania Richetto / Laurent Nicolaon / Alle / Frédéric Leviez / Romain Quéré / Julien Scaperrotta / Eric Threinen / Alain Gaymard / Shawn Baldauf • Wildlife Pictures : Gilson-Biosphoto / F.Lebeaux • DigitalVision • PhotoDisc • PhotoThema • Corbis

INSECTES

Les insectes sont des animaux appartenant au grand groupe des arthropodes (« animaux aux pattes articulées »), qui comprend aussi les araignées, les crustacés et les mille-pattes. Leur corps est entouré d'une carapace, appelée cuticule, qui les fortifie, les protège des facteurs climatiques et les oblige à muer pour grandir. Il se compose de 3 parties : la tête surmontée de 2 antennes ; le thorax, entouré de 3 paires de pattes et 1 ou 2 paires d'ailes ; et enfin l'abdomen, parfois très long (comme chez la libellule), éventuellement pourvu d'un aiguillon (ou dard).

Les insectes se reproduisent par accouplement. Ensuite, la femelle pond ses œufs dans un endroit (sol, eau, plantes) où les larves qui en sortiront trouveront de quoi se nourrir. Selon les espèces, le développement qui suit le stade larvaire est différent. Les larves des fourmis, papillons (chenille), mouches (asticot), abeilles et coccinelles, ont un aspect très différent de celui de l'adulte et grandissent par mues successives.

Une fois sa croissance terminée, la larve se fixe sur un support et s'entoure d'une enveloppe protectrice ; elle est devenue une nymphe (chrysalide chez les papillons). À ce stade, l'insecte va radicalement se métamorphoser en adulte, appelé imago.

Chez les criquets et les libellules par contre, la métamorphose est donc incomplète. La larve ressemble déjà à l'adulte, en plus petit et sans ailes. Ensuite, il grandit par mues successives et, lors d'une dernière mue, les ailes apparaissent. Ils possèdent deux yeux composés ou à facettes et, parfois, aussi, des yeux simples (ocelles). Les ocelles, généralement au nombre de 3 et disposés en triangle sur leur tête, captent la luminosité, tandis que les yeux composés, situés de chaque côté de la tête, leur permettent de percevoir les formes et les couleurs ainsi que de détecter les mouvements rapides autour d'eux. Les insectes n'ont pas d'oreilles, mais sont capables de percevoir les vibrations des sons grâce aux poils qui recouvrent leur corps ou à leurs antennes. Ces antennes leur permettent aussi de reconnaître les odeurs ainsi que les goûts et sont leur principal moyen de communiquer entre eux (comme chez la fourmi, les abeilles et les papillons).

LE PAPILLON

Les papillons appartiennent à l'ordre des lépidoptères, qui compte environ 150 000 espèces ! Ils possèdent 2 paires d'ailes qui présentent des nervures dont la disposition varie selon les familles. Ce sont les seuls insectes à posséder de minuscules écailles colorées sur le corps et les ailes. Ces écailles laissent une poudre colorée sur les mains lorsqu'on les effleure. Imbriquées les unes aux autres, elles forment de superbes dessins colorés et identiques sur chaque paire d'aile. Ces dessins ont pour but, chez certains, d'impressionner les prédateurs. Il existe deux sortes de papillons : les papillons de nuit et les papillons de jour. Les premiers, actifs la nuit, se reconnaissent à leurs antennes plumeuses et à leurs ailes dépliées lorsqu'ils sont au repos. Les papillons de jour, aux couleurs généralement plus vives, ont des antennes en forme de massue et replient leurs ailes lorsqu'ils sont posés. Les papillons possèdent une bouche en forme de « serpentin » qui, déroulée, leur permet d'aspirer le nectar des fleurs ou le liquide des fruits, dont beaucoup se nourrissent. En butinant de fleur en fleur, ils sont bien utiles car ils favorisent le transport du pollen et donc la reproduction des plantes à fleurs.

La chrysalide, qui ressemble à une feuille ou une branche, se fait discrète dans son milieu. Ce stade du cycle de la vie du papillon peut durer de 10 jours à 1 an, selon l'espèce. C'est de ce dernier stade et après une métamorphose complète que sortira le papillon adulte. Pour quitter sa chrysalide, il doit déchirer l'enveloppe solide, puis attendre que ses ailes se défroissent et sèchent pour enfin s'envoler. L'adulte vit entre 1 jour et 6 mois.

Morpho commun

Piéride du chou

Papillon aux ailes de verre

Leuconé

Flambe

Monarque

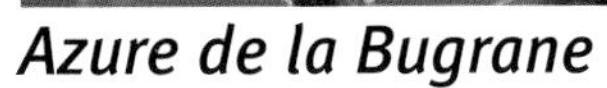

Azure de la Bugrane

Grand sphinx de la vigne

Apollon

La coccinelle

La coccinelle fait partie de l'ordre des coléoptères. Tous les insectes appartenant à ce groupe possèdent deux paires d'ailes dont les antérieures, appelées élytres, sont dures. Chez la coccinelle, elles sont vivement colorées de rouge, orange, jaune et même noir, avec des points d'une autre couleur, en nombre et taille divers. Ensemble, couleur et points déterminent les 5 000 espèces. Ce joli insecte de petite taille (de 0,1 à 1,5 cm) n'est pas seulement là pour qu'on l'admire trottiner sur nos doigts ou sur une branche ; il est très utile dans les cultures car il se nourrit d'animaux nuisibles pour les plantes (pucerons et cochenilles). C'est donc un insecticide naturel ! Malgré ses airs de « bête à bon dieu », dans son « petit monde », la coccinelle est considérée comme un insecte très vorace. En effet, elle est capable de manger plus de 70 pucerons par jour. Lorsqu'elle est inquiétée, la coccinelle peut produire une substance odorante de couleur jaunâtre (du sang), dont le but est d'éloigner les intrus. On pense que c'est grâce à cette sécrétion qu'elle n'a pas d'ennemis.

La larve de coccinelle n'a vraiment rien à voir avec l'adulte, si populaire. Elle est épineuse, au goût détestable pour ses prédateurs, et se déplace à l'aide de ses 3 paires d'énormes pattes. Après 5 mues successives sur une période de 1 mois, la larve qui a multiplié son poids par 10 en se goinfrant de pucerons, se pose sur une feuille et se transforme en nymphe. Une jeune coccinelle ailée, de couleur pâle, en émerge une semaine plus tard pour vivre un peu plus d'un an.

Ponte de coccinelle

Coccinelle mangeant des pucerons

Coccinelle à 22 points

Coccinelle ocellée

Envol d'une coccinelle à 7 points

La guêpe

La guêpe fait partie de l'ordre des hyménoptères. Cet insecte possède 2 paires d'ailes membraneuses, dont celle postérieure est plus petite. La guêpe chasse différents insectes comme les chenilles pour nourrir ses propres larves, ce qui la rend bénéfique pour les plantes. Par contre, attirée par l'odeur de nos repas, elle vient nous ennuyer à la saison chaude et nous fait peur, par sa réputation de piqueuse. Cependant, elle ne pique que si elle se sent menacée. Elle pique à l'aide d'un aiguillon ou dard placé à l'extrémité de son abdomen et relié à une glande à venin. Contrairement aux abeilles, elle garde son dard lorsqu'elle a piqué et est donc capable de piquer plusieurs fois de suite. Il existe plus de 9 000 espèces de guêpes, dont la taille peut varier de 1 à 2 cm de longueur. Leur abdomen, souvent rayé de jaune et de noir, peut aussi se parer de noir et de rouge. Toutes possèdent une paire d'yeux composés et 3 ocelles. Parmi les nombreuses espèces de guêpes, certaines sont solitaires (chasseresses) et d'autres sont sociales et vivent en colonie dans un nid, appelé guêpier.

Les guêpes sociales construisent des nids. Leur nid est soit fait de carton qu'elles fabriquent en mélangeant de la fibre de bois avec leur salive, soit fait de boue, soit emprunté à un autre animal. C'est la reine qui commence le nid et qui pond les œufs dont sortent des ouvrières qui terminent le nid. Ces ouvrières s'occupent aussi d'alimenter la colonie. Celle-ci peut compter jusqu'à 200 000 individus.

La guêpe germanique ou européenne est une guêpe sociale présente dans l'hémisphère nord. L'ouvrière mesure 13 mm et la reine mesure 18 mm. Elle construit un nid en carton grisâtre qui peut mesurer entre 20 et 30 cm de diamètre. La colonie peut comprendre plus de 3 000 individus.

Ce frelon, d'une longueur de 2 à 3 cm, est la plus grande guêpe d'Europe. C'est une guêpe sociale dont le nid est accroché à un tronc d'arbre ou placé dans une anfractuosité. La colonie peut compter entre 5 000 et 6 000 individus. Sa piqûre très douloureuse injecte cependant un venin moins toxique que celui d'une abeille.

L'ABEILLE

Tout comme les guêpes, les abeilles font partie de l'ordre des hyménoptères. Il existe environ 20 000 espèces d'abeilles dont 1 000 sont sociales, telle que l'abeille domestique européenne. Cet insecte est bien utile. En effet, il nous procure du miel et de la cire et présente un intérêt écologique important pour les plantes. L'abeille se nourrit de nectar ainsi que de pollen qui, éparpillé sur son corps, est transporté d'une fleur à l'autre. Ceci favorise la pollinisation des plantes. Les abeilles sociales sont spectaculaires dans l'organisation de leur société et leurs comportements sociaux. Dans leur nid, appelé ruche, il existe de nombreux individus qui jouent chacun leur rôle. La reine pond des œufs (jusqu'à 2 500 par jour) ; les milliers d'ouvrières vont récolter le nectar qui, placé dans les alvéoles, donnera le miel dont elles se nourrissent. Selon son âge, une ouvrière s'occupe aussi du couvain (œufs, larves et nymphes), aère, aménage et répare la ruche. Lorsqu'elle part à la recherche de nourriture, elle est capable de renseigner les autres ouvrières sur un endroit intéressant en leur indiquant le chemin par une sorte de danse en plein vol.

La ruche, qui abrite une colonie de plus de 80 000 abeilles (essaim), est construite de façon à utiliser le maximum d'espace avec une quantité minimum de matériel. Elle est constituée de milliers d'alvéoles identiques et hexagonales. Ces alvéoles sont faites de cire, produite par les abeilles elles-mêmes. C'est dans celle-ci que les ouvrières nourrissent les larves en y accumulant du nectar, qui donnera le miel.

La fourmi

La fourmi se rencontre partout et est très envahissante. Ce n'est guère étonnant si l'on sait que 100 millions de fourmis naissent chaque seconde sur notre planète. Elle fait partie de l'ordre des hyménoptères, mais contrairement aux autres insectes de son groupe, elle ne possède ses 2 paires d'ailes que lors de la reproduction. En dehors de cette période, elle est aptère (sans ailes). Il existe environ 10 000 espèces de fourmis. Elle mesure, selon les espèces et selon son rôle dans la fourmilière, entre 2 mm et 4 cm. Les ouvrières soldats sont généralement beaucoup plus grandes que les ouvrières nourricières. Le statut social de la fourmi va aussi déterminer son âge ; une reine peut vivre jusqu'à 40 ans alors qu'une ouvrière vit environ 4 mois. Dans la colonie, chacun a sa tâche et travaille sans relâche. Selon les espèces, le travail dépend de son mode de nutrition. Ses antennes, qui captent des molécules (phéromones), lui servent à retrouver son chemin, à identifier les autres fourmis et à chercher sa nourriture. Son développement se fait par métamorphose complète. La larve privée de pattes, comme chez les abeilles et les guêpes, dépend entièrement de l'adulte.

La fourmilière est constituée de galeries souterraines menant à différentes chambres. Certaines sont réservées aux larves et aux nymphes. Une chambre sert d'entrepôt de nourriture, une autre de lieu d'hibernation, et une autre encore est réservée à la reine, qui y reste toute sa vie. Elle y pond sans relâche sa centaine d'œufs par jour. Au sein de la colonie, on compte entre quelques dizaines à plusieurs millions d'individus qui coopèrent et communiquent entre eux en émettant des substances chimiques (phéromones).

Les fourmis rouges sont des fourmis « piqueuses ». L'ouvrière possède des glandes à venin au niveau de son abdomen, qui lui permettent de capturer ses proies. Elle mord d'abord son ennemi à l'aide de ses mandibules (mâchoires des insectes), puis déverse le contenu de sa glande dans la plaie. Cela crée une brûlure due à un composé acide présent dans le venin. Ces fourmis sont essentielles à l'écosystème forestier car elles protègent les arbres de nombreux insectes ravageurs dont elles se nourrissent.

Les fourmis coupeuses de feuilles ou champignonnistes d'Amérique du Sud se nourrissent d'un champignon qu'elles cultivent elles-mêmes. Elles découpent les feuilles des arbres et les placent dans une chambre de la fourmilière (la champignonnière), où se développe le champignon. Les castes sont organisées en fonction de cette activité de découpe de feuilles et en fonction des morceaux dont elles ont la charge. En vue de protéger leurs œufs et leur culture, elles produisent des insecticides, des fongicides et des bactéricides. Elles jouent de ce fait un rôle écologique important puisqu'elles limitent les espèces parasites des plantes.

La fourmi camponote construit son nid soit dans les troncs d'arbre morts, soit en pleine terre. Dans ce dernier cas, elle exerce un impact important sur son environnement en aérant le sol. On compte de nombreuses espèces de ces fourmis, dont une rouge et une noire. Présentes, entre autres, au Canada et comptant parmi les plus grandes espèces européennes, elles peuvent aussi être nuisibles. Elles sont en effet capables d'endommager le bois des charpentes des maisons en y creusant des galeries. Comme elles préfèrent les lieux humides, leur présence dans ces structures peut servir d'indicateur de la présence d'humidité. Elles ne se nourrissent cependant pas de bois mais d'autres insectes et de petits invertébrés, de sirop, de miel et de fruits.

LE TERMITE

Les termites sont des insectes sociaux appartenant à l'ordre des isoptères. Ceux-ci ne possèdent pas de taille. Leur cycle de vie est à métamorphose incomplète. Il existe environ 2 000 espèces de termites, et bien qu'ils se rencontrent en régions tempérées, la majorité abonde dans les pays tropicaux et équatoriaux. Ils peuvent constituer un véritable fléau car ils se nourrissent du bois des charpentes de maisons qui finissent par s'effondrer sans crier gare. Ils font preuve, comme les fourmis, d'une structure sociale complexe dont « l'intelligence » émane de la coopération. La colonie comprend 4 types d'individus : les soldats (avec une grosse tête et des mandibules puissantes), les ouvriers, la reine et le roi. Les soldats utilisent leurs mandibules pour mordre leurs adversaires ou se défendent en projetant un liquide collant. Les ouvriers, les plus nombreux au sein de la colonie, ont pour rôle de nettoyer, de nourrir la colonie et de construire la termitière à l'aide d'argile (boue), d'un mélange de végétaux et de salive, et d'excréments.

Dans les savanes, les termitières forment de véritables constructions qui peuvent atteindre 9 m de hauteur au-dessus du sol, et dont la fabrication peut prendre 10 ans ! Cette structure possède des systèmes d'aération en forme de cheminées et se poursuit dans le sol par de nombreuses galeries, des chambres et des caves. Certaines possèdent également des jardins où sont cultivés des champignons dont le rôle est d'assurer la digestion du bois, principale nourriture des termites.

La reine et le roi, ailés au départ, commencent la construction de la termitière avant de laisser cette tâche aux ouvriers. Le couple royal s'installe alors dans une chambre où il restera toute sa vie. L' énorme reine peut pondre 30 000 œufs par jour. Ses 10 cm de long sont essentiellement constitués de son énorme abdomen. Le couple royal émet des phéromones qui agissent sur les individus et leur permettent de les gérer.

Les ouvriers ont une couleur blanchâtre et sont chargés de nettoyer la termitière et de nourrir la colonie ; ils constituent véritablement "l'estomac" de la colonie puisqu'ils sont les seuls à pouvoir digérer la cellulose et la régurgiter sous forme de gouttes d'aliments prédigérés pour les donner aux autres (soldats, roi et reine, larves).

La mouche

Les mouches font partie de l'ordre des diptères. Ces insectes possèdent 1 seule paire d'ailes. Ce sont des insectes solitaires dont le cycle de vie passe par une métamorphose complète. Les mouches, répandues dans le monde entier, ont des aspects variés. Certaines ressemblent à des moustiques, d'autres ont des pattes en forme de plumes ou encore des rayures de guêpe ou d'abeille. En général, nous ne voyons en elles que des insectes énervants et vecteurs de maladies. Cependant, certaines mouches jouent un rôle important pour l'environnement. En effet, en se nourrissant de déchets de toutes sortes (aliments, cadavres, excréments), elles font partie des éboueurs de la planète. Bien sûr, leurs pattes peuvent emporter des pathogènes présents sur ces déchets et les transporter sur d'autres aliments. Pour se nourrir, elles transforment d'abord leur nourriture en liquide avant de l'aspirer grâce à leur bouche en forme de trompe suceuse. La larve, par contre, se nourrit en broyant la nourriture sur laquelle elle se développe. Leurs pattes adhésives leur permettent de marcher sur les murs et au plafond.

Les deux énormes yeux des mouches sont composés de 4000 petits éléments : les facettes (ou ommatidies). Ceux-ci lui donnent une vue excellente et panoramique. Elle peut donc voir dans plusieurs directions à la fois, même derrière elle. Ceci lui permet de parer à toute attaque. De plus, elle se déplace très rapidement (200 battements d'aile par seconde) et peut changer brusquement de direction. Tout cela la rend très difficile à attraper et d'autant plus agaçante.

La mouche verte ou mouche commune, d'une taille de 1 à 1,5 cm, est légèrement plus grande que la mouche domestique. Attirée par les odeurs de charogne, elle peut également jouer le rôle de pollinisatrice de quelques fleurs dégageant ce type d'odeur. Sa larve aussi, est excessivement active dans l'élimination des cadavres.

La mouche à fumier mesure entre 5 et 12 mm de long et a un aspect velu dû à la présence de poils de couleur dorée (pour les mâles) ou verdâtre (pour les femelles) sur le corps. C'est ce type de mouches que l'on voit sur les bouses de vache, où elles pondent leurs œufs et où se déroule leur cycle jusqu'à l'apparition de l'adulte.

Le moustique

Le moustique fait partie de l'ordre des diptères, comme la mouche, mais appartient à une autre famille (celle des culicidés). La larve et la nymphe sont aquatiques. Ce n'est qu'après une 4ème mue de la nymphe que le moustique se métamorphose en adulte ailé dont la vie est exclusivement terrestre. Sur les 3 000 espèces de moustiques qui existent dans le monde, certaines piquent et d'autres non. Les femelles des espèces piqueuses s'alimentent du sang de mammifères ou d'oiseaux alors que les mâles s'alimentent de sève et de nectar, ou ne s'alimentent pas du tout durant leur courte vie. Pour piquer, la femelle perce notre peau grâce à sa trompe rigide et y injecte de la salive pour empêcher la coagulation du sang, qu'elle peut alors aspirer. Ce sang lui est indispensable pour assurer ses besoins et produire ses œufs. En plus de nous piquer, le moustique nous énerve par son vol bruyant produit par ses mouvements d'ailes ultra rapides (de 200 à 400 battements par seconde). Ce bruit a également pour vocation de trouver un partenaire au moment de la reproduction.

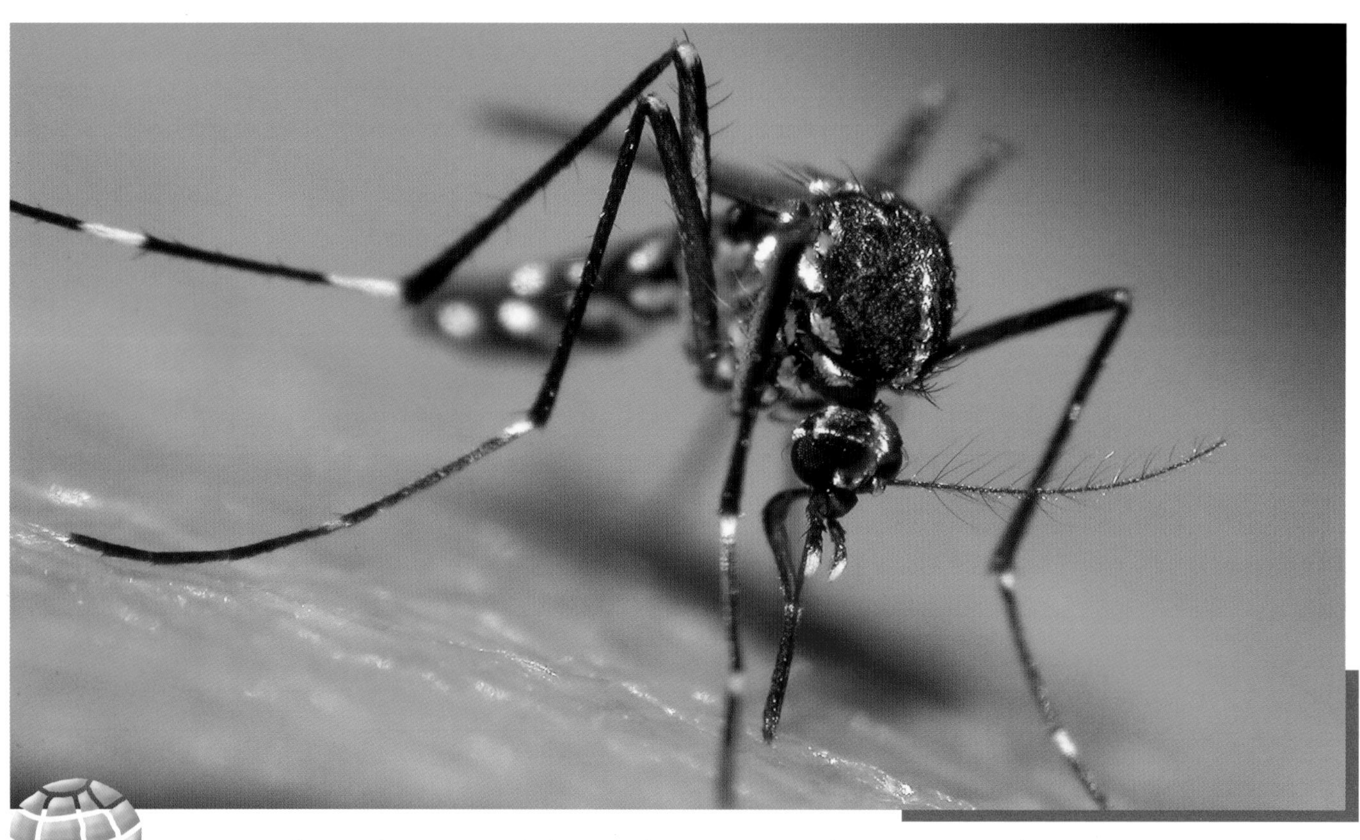

Le moustique-tigre est originaire d'Asie. Mais il est aujourd'hui de plus en plus répandu de par le monde. Dans les zones tropicales, il est le véhicule d'une trentaine de virus (dont une encéphalite et la dengue). En Europe, en l'absence de ces virus pathogènes, il reste inoffensif dans la plupart des régions. Cependant, en 2007, il a été reconnu responsable de la transmission d'une maladie virale (chikungunya) en Italie.

La libellule

La libellule fait partie de l'ordre des odonatoptères. C'est l'insecte le plus rapide : elle peut atteindre 80 km/h en vol et changer de direction très brusquement. Elle peut même voler en arrière ou faire du surplace et, tout ça, dans le plus grand silence ! La libellule est capable de supporter des accélérations 3 fois plus importantes que celles subies par un pilote de chasse et de manœuvrer ses 2 paires d'ailes séparément. As-tu déjà vu une libellule marcher ? Non, car excellente en vol, ses pattes ne lui permettent pas de marcher mais lui servent à s'agripper aux plantes ou à attraper ses victimes. D'une taille variable selon les 2 800 espèces existantes, elle peut atteindre 10 cm de long. La larve, aquatique, respire par des branchies. Ce stade larvaire peut durer entre 1 an et 5 ans, période au cours de laquelle elle subira 9 mues. C'est à la dernière mue qu'apparaît l'adulte ailé qui, lui, ne vivra qu'un mois. Qu'elles soient à leur stade larvaire, nymphal ou adulte, ce sont de grandes carnassières qui se nourrissent de divers insectes. Lorsqu'elle se pose sur une branche, ses 4 ailes sont généralement placées à plat.

La libellule possède deux énormes yeux composés ou à facettes (jusqu'à 30 000 facettes par œil) qui lui offrent une vision panoramique à 360 degrés. Ainsi, la libellule distingue parfaitement les formes de son territoire, qu'elle peut mémoriser, et elle est sensible aux mouvements. Son appareil buccal est de type broyeur et elle peut mordre lorsqu'on la capture.

Libellule écarlate

Libellule mélancolique

LE SCARABÉE

À l'instar de la coccinelle, le scarabée fait partie de l'ordre des coléoptères. Il a donc deux paires d'ailes, dont l'antérieure est coriace (élytres) et forme un bouclier protecteur sur le dos. Son vol, plutôt lourd, est uniquement dû aux ailes postérieures et membraneuses. Ses pièces buccales sont de type broyeur et il subit une métamorphose complète. Les scarabées sont regroupés dans une famille, celle des Scarabéidés, qui comprend environ 19 000 espèces. L'une des caractéristiques de cette famille est la présence de courtes antennes qui se terminent par une petite massue formée de lamelles. Le hanneton est parfois classé dans la même famille. On y trouve aussi les bousiers ; il s'agit de scarabéidés qui participent à l'élimination de bouses en les mangeant. En revanche, d'autres espèces comme le scarabée rhinocéros, peuvent causer de véritables dégâts dans les plantations de palmiers et de dattiers des régions tropicales.

Les scarabées rhinocéros, d'une longueur de 20 à 40 mm, comptent parmi les plus gros coléoptères de France. Mais, on les rencontre aussi dans les régions tropicales. La tête du mâle est munie d'une longue corne qui lui vaut son nom et lui sert à combattre son rival. Sa carapace a un éclat métallique qui réfléchit les rayons du soleil et le préserve de la chaleur. Il peut porter 850 fois son poids sur son dos !

Le scarabée vert ou cétoine dorée, est un magnifique coléoptère aux reflets métalliques, souvent vert, d'une longueur de 1,8 à 2,5 cm. Il se trouve fréquemment sur les roses, qu'il "mâchouille", et on le voit souvent en plein soleil. Il vole aisément en sortant ses ailes membraneuses, tout en gardant ses élytres fermées.

Le scarabée Goliath mesure 12 cm de long et pèse 100 g. Ce poids en fait l'insecte le plus lourd au monde. Mais il est complètement inoffensif et passe ses journées caché dans de vieilles souches, n'en sortant qu'à la nuit tombée pour partir à la recherche de plantes en décomposition. Il vit en Afrique tropicale.

Le criquet

Les criquets font partie de l'ordre des orthoptères. Ce groupe comprend des insectes qui sautent plus qu'ils ne volent. Le criquet possède des antennes plus courtes que son corps, contrairement à la sauterelle. Il émet des sons (stridulations) qu'il produit en frottant ses pattes postérieures sur ses ailes. Il capte les sons par ses antennes mais aussi par des membranes situées sur le ventre ou le thorax, qui jouent le rôle de tympan. Après l'accouplement, la femelle pond ses œufs dans la terre. La larve qui en sort ressemble à un criquet adulte dépourvu d'ailes et se transforme, après plusieurs mues, en adulte portant 2 paires d'ailes. Les criquets sont considérés comme des ravageurs. Ainsi, le criquet pèlerin, habituellement solitaire, peut-il devenir grégaire. Lorsque la pluie et la chaleur s'abattent sur certaines régions d'Afrique, les femelles pondent jusqu'à 200 œufs tous les 6 jours et, une fois leur développement achevé, tous ces criquets s'élancent dans le ciel formant des essaims comptant des milliards d'insectes. Ce nuage d'insectes de 1 000 km^2, dévaste tout ce qu'il trouve comme végétation sur son passage. Ceci peut entraîner des catastrophes économiques importantes pour les pays dont les cultures sont ainsi dévastées. Les criquets constituent un aliment de base chez certaines peuplades africaines.

Le criquet des chiens est un criquet qui pue. On prétend que même les chiens n'en veulent pas en raison de son odeur nauséabonde, d'où son nom. Cette puanteur serait destinée à éloigner ses prédateurs. Ce criquet coloré de 10 à 12 cm vit à Madagascar et à Bali.

Criquet égyptien

La cigale

Les cigales font partie de l'ordre des hémiptères. Ce sont des insectes à métamorphose incomplète, comme le criquet. Les cigales sont regroupées dans une famille, celle des cicadidés. Elles mesurent entre 2 et 5 cm de longueur et ont deux paires d'ailes membraneuses qui permettent de distinguer leur corps par transparence. Elles se nourrissent de sève d'arbre ou d'arbuste, grâce à un appareil buccal de type piqueur-suceur. Cette vedette du sud de la France, chante tout l'été. C'est au mois de juillet que la larve de la cigale sort de terre après y être restée entre 10 mois et 17 ans. Elle subit alors une dernière mue de plusieurs minutes avant de devenir un adulte ailé et chanteur. L'adulte ne vit que 3 semaines, mais cela lui suffit pour se reproduire. Seuls les mâles émettent un chant en faisant vibrer les membranes (ou timbales) situées à la base de leur abdomen ou en frottant leurs ailes l'une sur l'autre. Ce chant attire les femelles, parfois distantes de plusieurs centaines de mètres.

La cigale périodique est une espèce remarquable dont il existe plusieurs variétés. 3 d'entre elles ont un cycle de 17 ans. Il se peut que durant des périodes d'émergence, les larves des cigales sortent de terre au nombre de 20 000 à 40 000 au pied d'un même arbre. Cette sortie synchronisée qui se déroule en quelques jours, entraîne un nombre incroyable d'insectes adultes qui envahissent les murs, les maisons et les arbres d'Amérique du Nord. Ces insectes sont heureusement inoffensifs.

Cigale verte

La phyllie

Ce superbe insecte, d'une dizaine de cm de long, ressemble à s'y méprendre à une feuille. Il fait partie de l'ordre des phasmidés. Ce sont ses ailes qui sont en forme de feuilles et, le plus fascinant, c'est qu'il se nourrit lui-même de végétaux. Ses élytres sont parcourus de nervures, disposées comme celles d'une vraie feuille. Et pour parfaire le tout, ses pattes elles-mêmes simulent des morceaux de feuilles. Ce mimétisme est complété par sa capacité à se balancer comme une feuille au gré du vent. Ajoutons que même au cours de son développement, il mime un végétal. En effet, ses œufs ressemblent à des graines et les larves ressemblent aux feuilles brun rouge dont elles se nourrissent. Ces insectes sont assez rares en raison d'un taux de reproduction relativement faible (ponte d'une centaine d'œufs seulement) et d'une courte durée de vie (3 mois). On les rencontre uniquement dans les régions tropicales. Il existe une trentaine d'espèces de phyllies. Aucune d'entre elles ne peut voler.

Le mâle est plus petit que la femelle et est capable de voler. Les antennes sont plus longues chez le mâle. Cet insecte a la particularité de pouvoir aussi se reproduire sans la participation du mâle, c'est-à-dire par parthénogénèse. Dans ce cas, la femelle pond des œufs sans qu'ils aient été fécondés par le mâle et qui se développeront en donnant uniquement des individus femelles.

La punaise

Les punaises font partie de l'ordre des hémiptères et du sous-ordre des hétéroptères. Il existe une grande variété de punaises. Toutes possèdent deux paires d'ailes, dont les antérieures sont séparées en deux zones : l'une, près du corps, est dure et l'autre, membraneuse. Les ailes postérieures sont, quant à elles, toujours membraneuses. La plupart sucent la sève des plantes dont la digestion est facilitée par des bactéries présentes dans leur intestin. Les femelles transmettent ces bactéries aux œufs afin que les jeunes, à leur tour, puissent digérer la sève. D'autres punaises sont des prédateurs peu efficaces qui se contentent de proies sans défense ou dédaignées par les autres prédateurs tels que les chenilles. Lorsqu'elles sont inquiétées, beaucoup sont capables de produire une substance malodorante. Parmi elles, on compte des punaises utiles et d'autres ravageuses. Ces dernières, en piquant les légumes et les fruits pour se nourrir, y injectent des substances qui entraînent le noircissement de la peau du fruit, la déformation des feuilles et des rameaux, et les rendent impropres à la consommation.

La punaise brune est une punaise de 1 à 1,5 cm de long, très commune sur diverses plantes poussant à proximité de l'eau. Elle se nourrit de feuilles et de fruits. Sa reproduction a lieu en juillet. Ses ocelles sont à peine visibles derrière ses antennes. Elle hiberne à l'état adulte.

Punaise rayée

Punaise verte des bois

Punaise assassin

La mante religieuse

La mante religieuse fait partie de l'ordre des dictyoptères et appartient à la famille des mantidés. Elle figure en bonne place sur le podium des insectes carnassiers. C'est en effet une terrible prédatrice, qui use de diverses stratégies pour bluffer ses proies, à tel point que ces dernières lui marchent parfois dessus. Bien camouflée par sa coloration, elle bouge peu, restant longtemps à l'affût dans l'attente d'une proie, dans une attitude de religieuse en train de prier. Elle est capable de tourner sa tête triangulaire et très mobile dans toutes les directions afin d'observer les alentours, l'air de rien, sans devoir bouger son corps. Sa vision binoculaire lui permet d'évaluer les distances avec une extrême précision. Ses pattes robustes et ravisseuses, parsemées de piques et de crochets, peuvent se déplier vers sa victime en une fraction de seconde et ainsi la harponner. Elle commence à manger sa proie (sauterelle, criquet, papillon) encore vivante. Malgré ses ailes de grande taille, la femelle est incapable de voler car elle est trop lourde. Seul le mâle, beaucoup plus petit, en est capable.

Lors de l'accouplement, il arrive que la femelle dévore le mâle. Cette nourriture lui apporte l'énergie nécessaire à sa ponte future. Cependant, ce cannibalisme semble surtout observé en laboratoire et est plutôt peu fréquent dans la nature, où l'accouplement débute et se termine sans que le mâle ne serve de casse-croûte. En effet, plus petit que la femelle et grimpé sur son dos, il est hors de portée de sa partenaire et une fois son rôle terminé, il s'éloigne simplement. Le cannibalisme entre femelles existe.

Accouplement

Combat de femelles